在全国党校工作会议上的讲话

（2015 年 12 月 11 日）

习　近　平

人　民　出　版　社

图书在版编目(CIP)数据

在全国党校工作会议上的讲话/习近平 著. —北京:人民出版社,2016.6

ISBN 978-7-01-016416-8

Ⅰ.①在… Ⅱ.①习… Ⅲ.①习近平-讲话-学习参考资料②中国共产党-党校-工作-学习参考资料 Ⅳ.①D2-0②D261.41

中国版本图书馆 CIP 数据核字(2016)第 145724 号

(RMC-ZJDXI-039-20151211)

在全国党校工作会议上的讲话

ZAI QUANGUO DANGXIAO GONGZUO HUIYI SHANG DE JIANGHUA

(2015 年 12 月 11 日)

习 近 平

人民出版社 出版发行

(100706 北京市东城区隆福寺街 99 号)

北京新华印刷有限公司印刷 新华书店经销

2016 年 6 月第 1 版 2016 年 6 月北京第 1 次印刷

开本:880 毫米×1230 毫米 1/32 印张:1

字数:15 千字

ISBN 978-7-01-016416-8 定价:3.00 元

邮购地址 100706 北京市东城区隆福寺街 99 号

人民东方图书销售中心 电话 (010)65250042 65289539

在全国党校工作会议上的讲话

（2015 年 12 月 11 日）

习　近　平

这次全国党校工作会议，是党中央召开的一次十分重要的会议。主要任务是，分析研究党校工作面临的形势和任务，贯彻落实《中共中央关于加强和改进新形势下党校工作的意见》，部署当前和今后一个时期党校工作，努力开创党校工作新局面。

上次全国党校工作会议是 2008 年召开的，那时我担任中央党校校长，我在讲话中概括了改革开放 30 年党校工作取得的 7 个方面成绩和进步，提出 3 个方面规律性认识。2012 年 7 月，我们召开了全国党校校长会议，我在讲话中概括了党的十七大以来党校工作取得的 8 个方面成绩和进步，概括了 9 个方面经验。党的十八大以来，党校工作取得了新成绩、积累了新经验。今天的会议主要是分析形势、研究问题、部署工作，成绩和经验就不多讲了，我想围绕坚持党校姓党这个党校工作的根本原则谈一些看法。

一、关于做好新形势下党校工作的重大意义

党校事业是党的事业的重要组成部分，党校是我们党教育培训党员领导干部的主渠道。这就决定了党校必须姓党。党校不姓党，或者不能很好姓党，就不能完成党所赋予的庄严使命。

我讲过，中国有了中国共产党执政，是中国、中国人民、中华民族的一大幸事。只要我们深入了解中国近代史、中国现代史、中国革命史，就不难发现，如果没有中国共产党领导，我们的国家、我们的民族不可能取得今天这样的成就，也不可能具有今天这样的国际地位。在坚持党的领导这个重大原则问题上，我们脑子要特别清醒、眼睛要特别明亮、立场要特别坚定，绝不能有任何含糊和动摇。

我们党要在中国长期执政，必须源源不断培养造

就一大批德才兼备的执政骨干。从中央到地方建立党校体系，专门教育培训干部，是我们党的一大政治优势。革命战争年代如此，和平建设时期如此，改革开放新时期更是如此。

长期以来，我们党始终高度重视党校工作。1924年5月，党的第一次中央执委会扩大会议认为："党内教育的问题非常重要，而且要急于设立党校养成指导人才。"根据这个决议，我们党成立了两所最早的党校——安源党校、北京党校。1925年1月，党的四大重申："党中教育机关除支部具其一部分作用，另外于可能时更有设立党校有系统地教育党员……增进党员相互间对于主义的深切认识之必要。"那时，全国党员只有900多人，我们党就如此重视设立党校问题。1926年2月，党中央特别会议通过《开办最高党校问题》的决定，明确提出"在北京及广州各办一长期党校"。1927年，党的五大同意在武汉创立中共中央党校，成立了筹备处，后因汪精卫叛变未能如期开学。1933年3月，中共中央局在苏区创办马克思共产主义学校，这是中央党校的前身，到1934年10月红军长征时停办。在一年半时间里，初级班、中级班、高级班3批学员、大约300多人从马克思共产主义学校毕业，其中有基层干部也有高级干部,有党政军干部也有群众团体干部,为苏区建设作出了很大贡献。

红军长征抵达陕北后,1935 年 11 月,中央党校在延安复校。为开展全党整风运动和开好党的七大,从 1939 年至 1943 年,党中央有计划、分期分批从全国各地抽调县团级以上党政军群领导干部到延安进行培训。当时,中央党校规模很大,分为 6 个学员部,六七千名县团级以上高中级领导干部集中在这里学习,同时参加整风。1943 年 3 月,毛主席亲自兼任中央党校校长。中央党校成为高中级干部的集结地,成为培养革命骨干的大摇篮。

新中国成立前后,我们党运用党校这个阵地,培养了大批领导骨干,为新民主主义革命、社会主义革命和建设的胜利提供了有力组织保证。改革开放以来,党校紧紧围绕党的事业和党的建设全局,为推进党的理论建设、加强干部教育培训,为坚持和发展中国特色社会主义作出了贡献。

现在,我们进入了全面建成小康社会的决胜阶段,我们党正在进行具有许多新的历史特点的伟大斗争,形势环境变化之快、改革发展稳定任务之重、矛盾风险挑战之多、对我们党治国理政考验之大都是前所未有的。我们党要团结带领全国各族人民抓住机遇、战胜挑战，把“四个全面”战略布局落到实处，把创新、协调、绿色、开放、共享的发展理念落到实处，实现第一个百年奋斗目标、全面建成小康社会，进而实现第二个百年奋斗目标、实现中华民族伟大复兴的中国梦，关键在于培养造就一支具有铁一般信仰、铁一般信念、铁一般纪律、铁一般担当的干部队伍。

“芳林新叶催陈叶，流水前波让后波。”新老交替是自然规律，也是党的事业继往开来的必然要求。1992年，邓小平同志在南方谈话中指出：“中国要出问题，还是出在共产党内部。对这个问题要清醒，要注意培养人，要按照‘革命化、年轻化、知识化、专业化’的标准，选拔德才兼备的人进班子。”这番话充分体现了邓小平同志的深谋远虑。党校承担着为领导干部补钙壮骨、立根固本的重要任务。新形势下，我们必须更加重视干部教育培训工作，必须更加重视党校工作。党校工作只能加强，不能削弱。

应该看到，相当一些同志还没有从这样的高度认识党校作用、看待党校工作，不重视党校工作的现象还比较普遍，不少人认为党校可有可无。党校工作在地方和基层还存在“说起来重要、做起来次要、忙起来不要”的问题。这些都应该加以纠正。各级党委应该从党和国家兴旺发达、长治久安的高度,充分认识加强和改进新形势下党校工作的重大意义,增强使命感、责任感、紧迫感,把我们党的这个独特优势保持好、发挥好。

二、关于坚持把党校姓党全面贯穿党校工作始终

党校因党而立,党校姓党是天经地义的要求。党校姓党,是党校工作的根本原则,也是做好党校工作的根本遵循。加强和改进新形势下党校工作,归根到底取决于能不能坚持好党校姓党、能不能把党校姓党贯穿党校工作始终。我担任中央党校校长期间,反复强调党校要坚持正确政治方向,核心就是这一条。道理很简单,如果党校不姓党了,那党校就没有必要存在了。

党校姓党,就是要坚持一切教学活动、一切科研活动、一切办学活动都坚持党性原则、遵循党的政治路线,坚持以党的旗帜为旗帜、以党的意志为意志、以党的使命为使命,严守党的政治纪律和政治规矩,坚持在党爱党、在党言党、在党忧党、在党为党,归根到底一句

话，就是要在思想上政治上行动上自觉同党中央保持高度一致。对这一点，各级党校在认识上必须十分清醒、行动上必须十分自觉。

第一，高扬党的理想信念旗帜是根本。党校姓党，首先要把党的旗帜亮出来，而且要让党的旗帜在各级党校上空高高飘扬。坚持党校姓党，首先要坚持姓"马"姓"共"。马克思主义是我们党的指导思想，共产主义是我们党的远大理想。没有马克思主义信仰、共产主义理想，就没有中国共产党，就没有中国特色社会主义。我主持起草党的十八大报告时，专门要求写了这样一段话："对马克思主义的信仰，对社会主义和共产主义的信念，是共产党人的政治灵魂，是共产党人经受住任何考验的精神支柱。"

我们干事业不能忘本忘祖、忘记初心。我们共产党人的本，就是对马克思主义的信仰，对中国特色社会主义和共产主义的信念，对党和人民的忠诚。我们要固的本，就是坚定这份信仰、坚定这份信念、坚定这份忠诚。世界社会主义实践的曲折历程告诉我们，马克思主义政党一旦放弃马克思主义信仰、社会主义和共产主义信念，就会土崩瓦解。共产党人如果没有信仰、没有理想，或信仰、理想不坚定，精神上就会"缺钙"，就会得“软骨病”，就必然导致政治上变质、经济上贪婪、道德上堕落、生活上腐化。

在举什么旗、走什么路的问题上，全党一定要保持清醒头脑。“凡观物有疑，中心不定，则外物不清；吾虑不清，则未可定然否也。”党校要旗帜鲜明、大张旗鼓讲马克思主义、讲中国特色社会主义、讲共产主义，旗帜鲜明、大张旗鼓讲党的性质、讲党的宗旨、讲党的传统、讲党的作风。中央批准中央党校成立马克思主义学院，就是坚持党校姓“马”姓“共”之举。

国内外各种敌对势力，总是企图让我们党改旗易帜、改名换姓，其要害就是企图让我们丢掉对马克思主义的信仰，丢掉对社会主义、共产主义的信念。而我们有些人甚至党内有的同志却没有看清这里面暗藏的玄机，认为西方“普世价值”经过了几百年，为什么不能认同？西方一些政治话语为什么不能借用？接受了我们也不会有什么大的损失，为什么非要拧着来？有的人奉西方理论、西方话语为金科玉律，不知不觉成了西方资本主义意识形态的吹鼓手。

“是非疑，则度之以远事，验之以近物。”冷战结束以来，在西方价值观念鼓捣下，一些国家被折腾得不成样子了，有的四分五裂，有的战火纷飞，有的整天乱哄哄的。伊拉克、叙利亚、利比亚这些国家就是典型！如果我们用西方资本主义价值体系来剪裁我们的实践，用西方资本主义评价体系来衡量我国发展，符合西方标准就行，不符合西方标准就是落后的陈旧的，就要批判、攻击，那后果不堪设想！最后要么就是跟在人家后面亦步亦趋，要么就是只有挨骂的份。

党校不是世外桃源，党校学员来自四面八方，听到的、看到的问题很多，意识形态领域的许多重大问题都会在党校汇聚。这就给党校提出了加强思想理论研究的重要任务。党校要加强对各种社会思潮的辨析和引导，不当旁观者，敢于发声亮剑，善于解疑释惑，守护这一马克思主义、中国特色社会主义的坚强前沿阵地。

第二，自觉同党中央保持高度一致是关键。我们党是高度集中统一的马克思主义政党，思想上的统一、政治上的团结、行动上的一致是党的事业不断发展壮大的根本所在。党校是教育培训干部的地方，必须自觉在思想上政治上行动上同党中央保持高度一致，而且要做得更好。在这上面出了问题，那就是方向性问题。

毛主席在党的七大预备会议上讲过一段名言："要知道，一个队伍经常是不大整齐的，所以就要常常喊看齐,向左看齐,向右看齐,向中看齐。我们要向中央基准看齐,向大会基准看齐。看齐是原则,有偏差是实际生活,有了偏差,就喊看齐。”毛主席说,看齐是原则,有偏差是实际生活。这是很深刻的道理。就像军队一样,再训练有素的部队也经常要喊看齐,而且要天天喊、时时喊。当然,整队型看齐比较容易,因为那是形体上的,思想上政治上行动上看齐就不那么容易了。经常喊看齐是我们党加强自身建设的规律和经验。只有经常喊看齐,只有各级党组织都经常喊看齐,才能时刻警醒、及时纠偏,使全党始终保持整齐昂扬的奋进状态。不断把领导干部集中到党校来学习培训,一个重要目的就是帮助大家向党中央看齐。

党校增强看齐意识,就要坚持党校一切工作都必须围绕党中央决策部署来进行。延安整风运动之前,包括党校在内的干部学校理论与实际、学与用脱节,主观主义和教条主义严重,由此出现同以毛泽东同志为代表的中央路线有偏差、看不齐的问题,毛泽东同志在《改造我们的学习》一文中批评了这种现象,但没有引起注意。1943 年 9 月,毛主席再次说:“一九四一年五月,我作《改造我们的学习》的报告,毫无影响。”正是由于存在着不看齐、看不齐现象,1942 年 2 月 28 日和

3 月底，中央党校两次改组，决定由毛主席直接领导中央党校工作，以彻底改变中央党校不适应党的事业发展的那些做法。

新形势下，党校工作必须向党中央看齐，向党的理论和路线方针政策看齐，向党的十八大和十八届三中、四中、五中全会精神看齐，向党中央改革发展稳定、内政外交国防、治党治国治军各项决策部署看齐。制定教学和科研规划，确定教学和科研任务，设置教学和科研内容，创新教学和科研方法，都要自觉从这个大局去把握、去落实，做到党中央要求干什么，党校就坚定干什么。党校向党中央看齐了，才能引导来到这里的学员向党中央看齐。如果党校都没看齐，又如何引导学员向党中央看齐？

党校增强看齐意识，就必须严守党的政治纪律和政治规矩。党校是学校，但不是普通学校，而是党教育培训执政骨干的学校，政治上必须有更高要求。过去，我听到一些反映，说一些人在党校讲课时传播西方资本主义价值观念，有的口无遮拦、对党和国家大政方针妄加议论，有的专门挑刺、发牢骚、说怪话，有的打着党校的金字招牌随意参加社会上不伦不类的活动。这些现象虽然发生在少数人身上，但影响很不好。这样的问题在党校不能发生！

我这样说，不是说不能对党和国家的具体政策和工作提出意见、提出批评甚至是尖锐的批评。我们鼓励和支持解放思想，鼓励和支持对有关政策举措进行分析评估，但要把握好政治立场坚定性和科学探索创新性的有机统一，不能把探索性的学术问题等同于严肃的政治问题，也不能把严肃的政治问题等同于探索性的学术问题。不能一说学术问题可以研究，就不顾场合口无遮拦乱说一气，也不能为了沽名钓誉而标新立异。

还要看到，个人的意见、批评往往是探索性的，有时是个人的一孔之见，对不对要在实践中检验，可以在内部研究，也可以通过一定组织渠道向上反映，但拿到党校讲台上讲、拿到社会上发表就要慎重了。说者无意，听者有心。老百姓心里想，这是党校的人讲的，应该是比较正宗的观点，容易相信。还有一些别有用心的人，一听到党校有人说了什么话，就如获至宝，大肆炒作，说党校里的人都对党中央说三道四了，共产党内部有不同声音了。党校出现这些言论，杀伤力很大，不要低估。

总之，在党校讲台、公开场合对重大政治和理论问题发表观点和看法，应该自觉维护党的威信、维护党中央权威，自觉维护党校形象。我们说学术探索无禁区、党校讲课有纪律，但“无禁区”也不是绝对的，反对四项基本原则的言行，违反党的理论和路线方针政策的错误观点，无论公开还是私下里，在党校都是不允许的。这是党的政治纪律，党校必须模范遵守。

三、关于加强党的理论教育和党性教育

党校姓党，决定了党校工作的重心必须是抓党的理论教育和党性教育。领导干部到党校学习，主要任务是学习党的理论、接受党性教育。领导干部干好工作，需要掌握各方面知识和技能，也应该有丰富多彩的爱好和兴趣，我也就此对领导干部提出过要求。但是，解决这些问题不是党校的主要任务，有很多途径可以解决。如果党校把党的理论教育和党性教育这个主业主课放松了、甚至荒废了，搞了很多其他方面知识、技能、兴趣的东西，那就会喧宾夺主，甚至会在政治方向上发生偏差。

党的十七大后我担任中央党校校长时，就不断讲

这个问题，党的十八大以来我仍然强调这一点。经过一段时间努力，各级党校抓理论教育和党性教育的责任心明显增强，目前存在的问题是理论教育和党性教育的针对性和实效性不够，离入脑入心、刻骨铭心还有不少差距。这里面有受教育方不勤学、不真学、不深学等方面原因，也有施教方的教育观念、教育方法、教育手段、管理水平等方面原因，还有现实环境的复杂性、党性教育与社会现实的差异性、理论教育和党性教育成效考核运用难、办学体制机制不完善等方面原因，需要综合加以解决。

我们党历来高度重视理论建设和理论教育，运用马克思主义基本原理指导中国的事情是我们的看家本领。我说过，我们党在中国这样一个有着13亿多人口的大国执政，面对十分复杂的国内外环境，肩负繁重的执政使命，如果缺乏理论思维，是难以战胜各种风险和困难的，也是难以不断前进的。我还说过，中国是一个大国，决不能在根本性问题上出现颠覆性错误，一旦出现就无法挽回、无法弥补。要防止出现颠覆性错误，就要深入认识共产党执政规律、社会主义建设规律、人类社会发展规律，而要认识规律，就要牢牢掌握和运用辩证唯物主义和历史唯物主义，牢牢掌握和运用中国特色社会主义理论体系。

党校是我们党对领导干部进行马克思主义理论教育的主阵地，必须引导和促使学员努力学习和掌握辩证唯物主义和历史唯物主义基本原理和方法论，特别是要把马克思主义中国化最新成果作为理论教育中心内容，提高战略思维能力、辩证思维能力、综合决策能力、驾驭全局能力。

中国特色社会主义理论体系归根到底是以马克思主义基本理论为指导的，是把这些基本理论同中国具体实际相结合的结果。马克思主义就是我们共产党人的“真经”，“真经”没念好，总想着“西天取经”，就要贻误大事！不了解、不熟悉马克思主义基本原理，就不可能真正了解和掌握中国特色社会主义理论体系。有的人以为中国特色社会主义理论体系一看就懂，没什么好学的。这种态度是不正确的。要加强对当代中国马克思主义的学习研究，引导学员学而信、学而用、学而行，坚定道路自信、理论自信、制度自信，更好用科学理论武装头脑、指导实践、推动工作。

我多次说过，党的各级领导干部特别是高级干部，要原原本本学习和研读经典著作，努力把马克思主义立场、观点、方法学到手，作为自己的看家本领。2013

年12月和2015年1月,中央政治局分别学习历史唯物主义和辩证唯物主义基本原理和方法论,最近又学习了马克思主义政治经济学基本原理和方法论,目的就是推动中央政治局同志对马克思主义有更全面的了解,也促进全党重视学习和掌握马克思主义。党校要加强学员对马克思主义经典著作的学习研究,开出基本书目,引导学员读原著、学原文、悟原理,特别是要理解其中包含的马克思主义立场、观点、方法,不要浅尝辄止。

加强党的理论教育,要坚持实事求是,坚持理论联系实际的马克思主义学风,坚持问题导向,注重回答普遍关注的问题,注重解答学员思想上的疙瘩,反对主观主义、教条主义、形式主义,防止空对空、两张皮。比如,如何看待马克思主义的真理性,如何看待社会主义本质特征,如何看待中国特色社会主义理论体系的科学性,如何看待加强和改善中国共产党的领导,如何看待自由、民主、平等的科学内涵和实践,如何看待西方所谓"普世价值",就需要重点加以回答。再比如,如何准确把握"四个全面"战略布局,如何深刻领会新的发展理念,如何科学认识经济发展新常态,如何看待使市场在资源配置中起决定性作用和更好发挥政府作用，如何看待坚持我国社会主义制度优越性和全面深化改革，如何看待坚持党的领导、人民当家作主、依法治国有机统一，如何看待党风廉政建设和反腐败斗争，也需要重点加以回答。凡是广大干部群众普遍关注的深层次问题，都要从历史和现实、理论和实践的结合上作出令人信服的回答。

北宋政治家司马光说："才者，德之资也；德者，才之帅也。"对领导干部而言，党性就是最大的德。现在干部出问题，主要是出在"德"上、出在党性薄弱上。群众评价说："有德有才是正品，有德无才是次品，无德无才是废品，无德有才是毒品。"很多领导干部犯错误，最后在忏悔书中都说对党章和党规党纪不了解、不熟悉，出了事重新学习后幡然醒悟，惊出一身汗。如果把党章和党规党纪学好了、掌握了，又自觉遵守了，防患于未然，就可以防止一些干部今天是"好干部"、明天是"阶下囚"的现象。"种树者必培其根，种德者必养其心。"党性教育是共产党人修身养性的必修课，也是共产党人的"心学"。

各级党校要把党性教育作为教学的主要内容，深入开展理想信念教育、党的宗旨教育，深入开展党史国史教育、革命传统教育，深入开展道德品行教育、法治思维教育、反腐倡廉教育，把党章和党规党纪学习教育作为党性教育的重要内容。前不久，中央纪委对各级党校授课内容作了一个调查，发现党校开设的党章和党规党纪课程只占总课程的2.5%。这个比例太低了！党校党性教育单元要加大力度、增加分量，安排足够时间，形成党性教育课程体系，有效改进党性教育方式方法，提高党性教育实效。

党性教育首先要学好党章。党章是党的总章程，是全党必须遵循的根本行为规范，认真学习党章、熟悉掌握党章是党员应尽的义务。党的十八大之后，我专门发表一篇文章，讲学习贯彻党章的重要性。要引导各级干部自觉学习党章、遵守党章、贯彻党章、维护党章，真正使党章内化于心、外化于行。党规党纪是对党章的延伸和具体化，学好了党规党纪，就能弄清楚自己该做什么、不该做什么，能做什么、不能做什么。要引导学员认真学习党内政治生活若干准则、中国共产党廉洁自律准则、中国共产党纪律处分条例等党内法规，强化学员党的意识、纪律意识、规矩意识，着力引导学员带头践行社会主义核心价值观，自觉用党章和党规党纪约束自己的言行。

党性教育要注重发挥先进典型作用，多讲讲革命烈士和英雄人物的崇高风范，多讲讲焦裕禄、杨善洲、谷文昌等各条战线优秀干部的模范事迹，多请一些先进模范人物来现身说法，党员、干部可以请，普通群众中的先进模范也可以请。我说过，要把革命烈士那些感人至深的文章、诗文、家书编辑成册，用于干部教育，让各级干部常常看、常常思、常常反求己身，党校可以先做起来。同时，要加强警示教育，把一些反面典型跌入违纪违法泥坑的教训给大家说说透，让大家引为镜鉴、自觉自律。

这方面的课程，不能讲讲听听就完了，而是要有检查学习成效的手段。小和尚念经——有口无心不行！党校要有一套检查的办法，各级党委和组织部门也要拿出考核检验的办法，努力使党校党性教育不仅能够震撼一瞬间、激动一阵子，而且能够铭记一辈子、影响一辈子。

四、关于提高党校科研能力和水平

党校姓党，决定了党校科研要紧紧围绕党的中心工作展开，在党的思想理论研究方面有所作为，为坚持和巩固党对意识形态工作的领导、巩固马克思主义在意识形态领域的指导地位作出积极贡献。同时，只有把一些重大问题从思想理论上搞清楚、弄明白了，党校教育培训才能真正做好。正所谓"视而使之明，听而使之聪，思而使之正"。

当今时代，社会思想观念和价值取向日趋活跃，主流的和非主流的同时并存，先进的和落后的相互交织，社会思潮纷纭激荡。我说过，思想舆论领域大致有红色、黑色、灰色"三个地带"。红色地带是我们的主阵地，一定要守住；黑色地带主要是负面的东西，要敢于亮剑，大大压缩其地盘；灰色地带要大张旗鼓争取，使其转化为红色地带。

落后就要挨打，贫穷就要挨饿，失语就要挨骂。形象地讲，长期以来，我们党带领人民就是要不断解决"挨打"、"挨饿"、"挨骂"这三大问题。经过几代人不懈奋斗，前两个问题基本得到解决，但"挨骂"问题还没有得到根本解决。争取国际话语权是我们必须解决好的一个重大问题。

希望党校根据时代变化和实践发展，加强理论总结和理论创新，为发展21世纪马克思主义、当代中国马克思主义作出努力。支撑话语体系的基础是哲学社会科学体系。没有自己的哲学社会科学体系，就没有话语权。党校特别是中央党校要坚持以马克思主义为指导，在研究上多下功夫，多搞“集成”和“总装”，多搞“自主创新”和“综合创新”，为建设具有中国特色、中国风格、中国气派的哲学社会科学体系作出贡献。党校要发挥自己马克思主义基本理论学科优势，认真研究、宣传、阐述党的思想理论，加强党的基本理论研究，更加及时地发出中国声音、更加鲜明地展现中国思想、更加响亮地提出中国主张。党校还要充分发挥课堂、报刊、网站、出版物等阵地优势，坚持在重大政治原则和大是大非问题上净化“噪音”、“杂音”，弘扬主旋律，传播正能量。

希望党校聚焦党和国家中心工作、党委和政府重大决策部署、社会热点难点问题进行深入研究，及时反映重要思想理论动态，提出有价值的对策建议。党校开展哲学社会科学研究，不能坐而论道，而要有党校的特点。党校如果同一般的社会科学研究机构、大学研究机构一样，那就没有特点了，也没有自身优势了。要加强对国家中长期发展战略问题的前瞻性研究，加强对重大现实问题和突出矛盾的对策性研究，加强党情政情社情信息反映和研究，努力成为出思想、出成果、出人才的重要阵地。

希望党校成为党和国家的重要智库。中央党校有发展智库的很多资源，学科设置比较完备，专家学者较多，特别是来自各地区各部门的学员资源丰富，可以形成教学相长、学学相长、共生多赢的优势。党中央已经把中央党校列入国家高端智库建设试点名单，要抓住这个机遇，在智库建设上取得新成绩。

对党校的办学成就，国际上有识之士也赞誉有加。一些外国政要对我们党办党校的举措赞叹不已，称之为中国共产党成功的“秘密武器”。党校这块牌子是有吸引力的，很多外国领导人和专家学者愿意来党校交流。党校对外交流工作要突出重点，不要搞得太宽了。党校是党的学校，教学科研搞得怎么样、学术水平怎么样，要由党作评价和确定。党校评价学术水平、教学质量、评定职称等都要注意这个问题，形成正确导向。

五、关于抓好党校师资队伍建设

我说过，在党校所有财富中，教师和其他各类人才是最宝贵的财富；在党校所有资源中，优秀教师和优秀人才是最急需的资源。为什么这样说？就是因为党校教师是我们党直接掌握的一支教师队伍,是我们党一支不可多得的理论力量。

经过多年培养和积累,全国党校已经拥有一支素质比较好的师资队伍,其中也有在国内外享有声誉的名师名家。同时,也要看到,现在进入党校学习的各级领导干部的学历明显提高、实践经验比较丰富,不少人善于理论思考,因而对党校教学质量和管理水平的要求也相应提高了。所以,党校师资队伍整体素质需要来一个大的提高。

有一份调研材料反映,党校师资队伍存在两个主要问题。一是“先天不足”现象。党校一些教师是从“学校门”到“学校门”,参加工作后又没有经历过实践锻炼,受条件限制也很少有机会进行系统培训,以致教师学识水平跟不上形势发展。二是“倒挂”现象。党校教师尤其是地方党校和基层党校部分教师,经历和阅历等方面不如学员。有人说,没当过领导的在给领导干部讲领导艺术,没出过国的在给经常出国的人讲国外经验,没经历复杂环境考验的在帮助每天同各类矛盾打交道的人出主意解难题。

党校不是一般学校,党校教育培训对象不是一般学生,这样的“不一般”对党校师资的要求也不一般,党校师资队伍建设力度也应该不一般。

对党校教师来说，首先要做到自觉坚持党校姓党、党校教师姓党。“师者，人之模范也。”党校教师应该在为人师表、行为世范上有更高标准。党校教师学为人师、行为世范，最重要的就是把党校姓党坚持好，时刻牢记自己党校教师的身份，热爱党校，珍惜荣誉，坚持对马克思主义、中国特色社会主义、共产主义的执着和坚守，坚持对党和人民的忠诚，带着光荣感和使命感去传道授业，做到“吾道一以贯之”。党校教师在自身党性锻炼上更要严格，努力做模范党员，用实际行动影响和带动学员。

党校要办好，必须有一大批名师。要实施党校系统“名师工程”，以学科学术带头人为主体，着力培养政治强、业务精、作风好的知名教师，培养造就一批马克思主义理论大家，一批忠诚于马克思主义、在学科领域有影响的知名专家。要通过多种途径方式，加强拔尖人才、学术领军人才培养，加快中青年教师培养。要加大党校教师到党政机关或基层挂职锻炼力度，实行蹲点调研制度，组织党校教研人员到基层一线深入了解实际，加深对国情党情的认识，增强分析和解决问题的能力。上级党校要加强对下级党校师资的培训。中央党校要加强对地方党校师资的培训。省级党校也要加强对市县级党校的师资和管理队伍的培训。

目前,党校特别是基层党校教师队伍中存在“能干的引不进,干不好的出不去,拔尖的留不住”的现象。不少地方把党校教师简单纳入参公人员管理。党校有其特殊性,不能搞一刀切。要探索建立既区别于公务员又不同于普通事业单位的党校教师管理体系,增强党校教师岗位吸引力。要探索建立符合干部教育培训特点的师资准入和退出机制、师资考核评价体系、职称评定和岗位聘任办法,推行教师竞争竞聘上岗,探索建立岗位等级、工作业绩与薪酬福利挂钩机制。要加强党校同其他党政机关和单位干部交流的力度,畅通人才双向交流渠道,促进学界和政界双向互动,支持学术造诣精深的党政官员应聘到党校担任教职,可以保留其原有的身份、职级。

延安时期,党中央关于党校工作的指示中就提出,党校所在地党的领导机关负责同志必须有计划经常到党校来作报告,能够任课的必须任课。当时,毛主席亲自到党校讲课,讲了 16 次,其他很多领导同志都上党校讲台讲,毛主席说三天一小讲、五天一大讲。我任中央党校校长期间讲过 19 次,党的十八大之后又去讲过，今后还要去党校讲。其他中央领导同志也要去党校讲课。省市县党委领导班子成员每人每年应该到同级党校讲一次课，作形势报告、进行专题讲座、与学员座谈都可以，讲党课也行。县级以上党委和政府工作部门主要负责人，也要根据需要不定期到同级党校讲课。这次印发的《中共中央关于加强和改进新形势下党校工作的意见》中提出，每年领导干部讲课总课时占各级党校主体班次总课时的比例不低于20%。这个比例，我看做得到，也应该做到，在一些时候、一些地方还可以更高些。要对领导干部到党校讲课作出制度性安排，实现教干部、干部教良性循环。

要充分利用各方面资源，不求所有、但为所用，选聘政治素质过硬、理论水平较高、善于课堂讲授的党政军领导干部、企事业单位领导人员，选聘先进典型人物、知名专家学者，担任党校兼职教师。在党校系统特别是地方党校和基层党校，还可以考虑加强党校师资统筹使用。再就是在坚持严格标准的前提下，从高校优秀毕业生中招录青年教研人员，从高等学校和其他部门引进符合党校教学要求的优秀人才，充实专职教师队伍，壮大党校师资队伍。只要能够提高党校师资水平和教学水平，可以“八仙过海，各显神通”，各种办法都可以用。

六、加强和改善党委对党校工作的领导

各级党委是办党校管党校建党校的主体，党委书记是办党校管党校建党校的第一责任人。要坚持党委办党校、党委管党校、党委建党校，把党校工作纳入党的建设总体安排，研究解决党校改革发展中的重要问题，帮助党校解决实际困难。要把党校工作纳入党委工作部署和党的建设工作年度目标考核，每年至少专题研究一次党校工作。要落实好《中国共产党党校工作条例》和《中共中央关于加强和改进新形势下党校工作的意见》。各级党委主要负责同志要经常过问党校工作，要到党校调研指导或与学员座谈，加强和改进各方面工作。要注重考察学员的学习情况、思想状况、遵守校规校纪情况，考察情况要作为干部使用的重要依据之一。要选优配强党校领导班子，把优秀干部选配充实到党校领导班子中来，不能把党校作为照顾安排干部的地方。兼任党校校长的党委负责同志要认真履职尽责，做到时间、精力、工作到位。各级组织部门

要做好统筹协调和服务工作，支持党校解决师资培养、基地建设、教学科研、经费保障等方面的困难和问题。

各级党校要坚持把从严治党要求和从严治校方针结合起来，坚持严以治校、严以治教、严以治学，把校风建设作为作风建设的重点，严格党校校纪、校规。要坚持高标准办学，把质量立校作为党校工作的重要抓手，努力提高教学科研质量。要锐意改革，不断推动教学科研、人才队伍、管理服务、学风校风等各方面工作的创新，健全和完善科学有效的制度，坚持以制度管人、用制度管事，以内部管理水平不断提高为质量立校提供制度保障。

党校是党的重要窗口，必须保持风清气正。要把“三严三实”要求体现到党校各方面工作中来，从思想、政治、作风等方面严起来、强起来。从中央到县四级共有党校近 3000 所，如果都能发挥改进和纯洁作风的作用，学员们回到单位和社会之后都能发挥“宣传队”作用，那么这股力量就不得了！过去，社会上对党校风气有一些这样那样的议论，这几年有了根本变化，但有些不好的风气还不能说彻底杜绝，也要防止死灰复燃。各级党校要把从严治校落到实处，敢抓敢管、严抓严管，严格组织生活制度，严格执行学籍、学习、考勤等制度,严肃培训纪律,不允许任何人搞特殊。来党校学习的领导干部,无论什么身份、什么职务,都是普通学员。在这方面,不要有所顾忌,不要怕得罪人。

全国共有省级党校34所,副省级党校15所,市地级党校360多所,县级党校近2500所,拥有近10万教职工,另外不少党政部门、国有企业、高等学校、部队等也办了党校。这是一笔宝贵的资源,是我们党的家业,也是我们的重要阵地。市县两级党校大约承担了90%以上基层党员干部教育培训任务,是教育培训基层党员干部的主力军。要从长计议,把这些党校都办好。

有这样一句顺口溜,说“中央党校风风光光,省级党校稳稳当当,市级党校勉勉强强,县级党校哭爹喊娘”。越到基层重视程度越差,办学条件越不好。县级党校普遍存在运转难维持、人才难稳定、教研难开展等困难,导致党校地位边缘化;有些县级党校连校舍都没有,长期租用场地办学;许多农村党员干部一辈子都没进过党校。这种状况与基层党校应承担的工作任务极不相称。

中央党校要牵头制订全国党校系统“十三五”建设和发展规划,对基础设施、教材、科研、人才队伍建设作出全面规划，切实解决基础设施落后、基础工作薄弱、基层党校脆弱的问题。要支持和鼓励基础较好的地方把县级党校办好。对基础薄弱、办学条件差的县级党校不能轻言撤并，可以走加挂市级党校分校牌子、整合资源的路子，多措并举。要加大对党校基础设施和教学设备的经费投入，健全党校经费保障机制，党校办学经费纳入本级财政预算。要加大对革命老区、民族地区、边疆地区、欠发达地区党校的经费投入，使这些地区的党校建设有一个新的发展。要建立健全质量评估评价体系，定期对各级党校办学水平进行评估和考核，促进党校系统办学水平整体提高。